捣蛋猫爱编程

什么是算法

〔美〕布赖恩·P. 克利里◎著　〔加〕马丁·戈诺◎绘　何　晶◎译

北京科学技术出版社

算法是一系列的分步指令，用来解决问题或者完成任务。

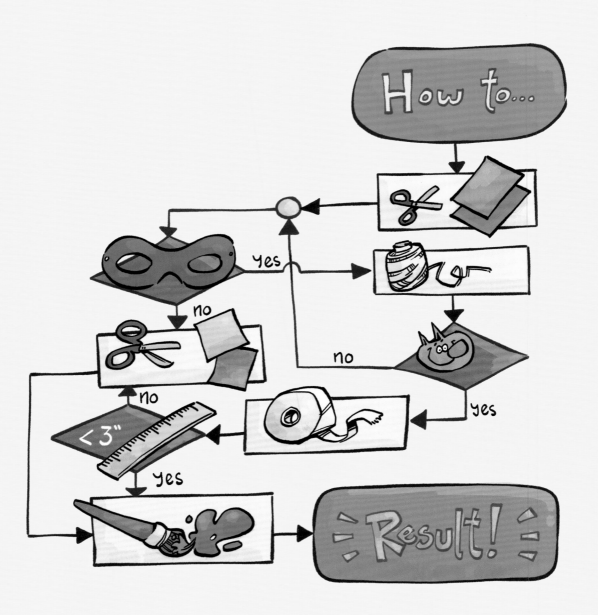

就跟如何用剪刀、马克笔、卡纸、绳子和胶带

做出一副很酷的面具一样。

算法和食谱异曲同工。

食谱可以引导你

一步一步做出比萨或者蛋糕。

食谱会介绍做美食的步骤——

做什么、怎么做、什么时间做、

原材料是什么以及烘烤多长时间等。

为了得到想要的结果，

必须严格按顺序执行算法中的指令。

就好比做巧克力蛋糕时，

如果你不想弄得一团糟，

就不能在烘烤完成后

再加鸡蛋、盐和糖。

在编程中，

算法通过 C++、Alice 这样的语言来实现。

无论你在通布图还是在达拉斯，

你都只能用编程语言

精准地告诉设备每一步要做什么。

任何任务或问题

都必须分解成简单的步骤。

算法的作用是将任务分解得更小、更具体，

因此，算法可以帮助你

处理日常生活中的很多琐事。

以喂猫为例，

你会怎么做呢？

仅仅把任务定义为喂猫并不能帮助我们完成它。

喂猫算法

1. 找到猫吃饭的碗。
2. 把碗放在台面上。
3. 找一罐猫粮。
4. 找到开罐器。
5. 用开罐器取下罐盖。
6. 把猫粮倒进碗里。
7. 回收罐子。
8. 找到装水的碗。
9. 倒入3/4碗水。
10. 把装猫粮的碗和装水的碗
    一起放在猫垫上。

仔细看一下喂猫算法中的步骤，
你就明白该如何喂猫了。

没有算法的计算机

什么都不能做——

不能放电影，

不能放音乐，也不能玩游戏。

甚至连最简单的加法，比如 2+2，

也不能做，

也不能帮你检查名字的拼写对不对。

很多算法甚至可以

在没有人参与的情况下做出调整。

自动驾驶汽车

不会一直高速行驶——

它们会根据

车辆行驶的环境调整速度。

基于事件编写的算法

能够让计算机在遇到某些事件时做出反应。

例如，当检测到前方的斑马线上有行人时，
自动驾驶汽车就会停下来让行人先通过。

谁会写算法呢？

通过学习你也可以。

会写算法之后你就可以让计算机按你的想法去做。

想设计一个游戏？创建一个网站？开发一个很酷的应用程序？
只要掌握了编程的技巧，这些你都能做到！

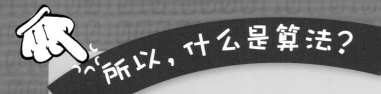

你知道了吗？

编程很有趣。最重要的是，任何人都可以编程。你只需有一台计算机或平板电脑，能连上网，并愿意尝试即可。

读完本书你会发现，算法就是告诉计算机如何完成任务的分步指令。这些指令要足够精简，这样计算机就能准确地知道每一步应该做什么。算法既可以用来执行简单的任务，比如做最简单的加法，也可以用来执行复杂的任务，比如自动驾驶。

算法还可以用来执行以下任务：

- 下棋
- 运行电子游戏
- 在互联网上搜索
- 控制交通信号灯
- 推荐电影
- 找到去朋友家最快的路

为了让算法正常执行，指令必须按照特定的顺序组合。如果使用模块化编程语言（比如 Scratch 和 Alice），会更加容易，因为你可以通过拖拽代码块来写程序。初学时可以尝试写一些简单的程序，掌握窍门以后就可以写复杂一些的程序了。起初的时候不要怕犯错，练习得越多，就会觉得越容易！

想学习更多编程知识？

看看下面的资源

书籍

Funk, Josh. *How to Code a Sandcastle*. New York: Viking Books for Young Readers, 2018.
（本书中文版《编程帮帮忙》已由北京科学技术出版社于 2019 年引进出版。）
阅读这本绘本，小读者们可以跟随小珍珠和她的机器人朋友帕斯卡一起"码"
出大沙堡。他们把一个大任务分解成若干小任务，并且使用了循环语句、序列
等编程概念来完成任务。

Loya, Allyssa. *Algorithms with Frozen*. Minneapolis: Lerner Publications, 2019.
计算机是怎么知道要做什么事情的？计算机有大脑吗？当然没有。程序员通过
编写程序告诉计算机去做什么事情。几行代码就组成了一个算法。在你最喜爱
的《冰雪奇缘》中的人物的帮助下，你也可以写算法。

Lyons, Heather. *Learn to Program*. Minneapolis: Lerner Publications, 2017.
程序是给计算机的指令。本书介绍了不同的编程语言、编程规则、什么是漏洞
以及该如何修复漏洞。读者可以在了解了基本概念之后，通过书中提供的链接
在线上进行编程实践。

网站和应用程序

Code.org
https://code.org
该网站为编程初学者提供了大量资源，包括供学生和老师使用的资源。你可以
在"项目"页签查看其他孩子已完成的项目，并查看这些项目的代码。

Scratch Jr.
https://www.scratchjr.org
这种简单的、基于模块的编程语言是专门为没有编程经验的小学低年级学生设
计的，它可以在 iPad 和安卓平板电脑上运行。

作者和绘者介绍

布赖恩·P.克利里是"捣蛋猫"系列绘本、"自然拼读"系列绘本、"诗歌冒险"系列绘本等畅销童书的作者。克利里还著有《咣当咣当》《哼哼唧唧》《拟声词的故事》《太阳在玩捉迷藏——拟人的故事》等。现居美国俄亥俄州克利夫兰市。

马丁·戈诺是一名资深绘本插画师，为很多绘本创作过插画，"捣蛋猫"系列绘本中很多插图都出自马丁之手。业余时间，马丁是电子游戏和编程爱好者。马丁现在和他的妻子以及两个可爱的儿子居住在加拿大魁北克省三河市。

感谢技术专家迈克尔·米勒对本书的文字和画面进行审校。

Text copyright © 2019 by Brian P. Cleary

Illustrations copyright © 2019 by Lerner Publishing Group, Inc.

Simplified Chinese translation copyright © 2020 by Beijing Science and Technology Publishing Co., Ltd.

著作权合同登记号　图字：01–2019–2056

图书在版编目(CIP)数据

什么是算法 / （美）布赖恩·P.克利里著；（加）马丁·戈诺绘；何晶译. —北京：北京科学技术出版社，2020.5
（捣蛋猫爱编程）

书名原文：You Can't Dance to These Rhythms

ISBN 978-7-5304-9173-7

Ⅰ.①什… Ⅱ.①布…②马…③何… Ⅲ.①程序设计–少儿读物 Ⅳ.①TP311.1–49

中国版本图书馆CIP数据核字(2020)第048834号

什么是算法（捣蛋猫爱编程）

作　　者：〔美〕布赖恩·P.克利里		绘　　者：〔加〕马丁·戈诺		
译　　者：何　晶		策划编辑：石　婧		
责任编辑：樊川燕		责任印制：张　良		
出 版 人：曾庆宇		出版发行：北京科学技术出版社		
社　　址：北京西直门南大街16号		邮政编码：100035		
电话传真：0086-10-66135495（总编室）		0086-10-66113227（发行部）		
0086-10-66161952（发行部传真）				
电子信箱：bjkj@bjkjpress.com		网　　址：www.bkydw.cn		
经　　销：新华书店		印　　刷：北京宝隆世纪印刷有限公司		
开　　本：710mm×1000mm　1/16		印　　张：1.5		
版　　次：2020年5月第1版		印　　次：2020年5月第1次印刷		

ISBN 978-7-5304-9173-7 / T · 1048

定价：20.00元